D1626627

JUF WIJS IN DE BIEB

Terence Blacker

JUF WIJS IN DE BIEB

Illustraties: Tony Ross

facet

Antwerpen
2000

CIP GEGEVENS KONINKLIJKE BIBLIOTHEEK - DEN HAAG
C.I.P. KONINKLIJKE BIBLIOTHEEK ALBERT I

Blacker, Terence

Juf Wijs in de bieb / Terence Blacker [vertaald uit het Engels door
Marie-Louise van As]. – Antwerpen: Facet, 2000
Orig. titel: In Control, Ms Wiz?
Oorspronkelijke uitgave : Macmillan Children's Books, London 1996
ISBN 90 5016 293 2
Doelgroep: Heksen, humor, bieb
NUGI 220

Wettelijk depot D/2000/4587/15
Omslagontwerp: Tony Ross

Copyright © Terence Blacker 1990
Copyright © illustraties Tony Ross 1996

Eerste druk juni 2000

HOOFDSTUK EEN

'Wie was die vrouw?'

In de bieb in de Langstraat hing boven de balie van meneer Gerrits een bordje met de tekst 'STILTE ALSTUBLIEFT!', maar zoals gewoonlijk trok niemand zich daar iets van aan.

Een groepje kleuters zat in de kinderhoek te lachen om het verhaal dat hun juf aan het voorlezen was.

Bij een van de leunstoelen vloog een bromvlieg om het hoofd van een oude man die in slaap was gevallen.

De nieuwe assistent-bibliothecaresse liep met een stoffer tussen de boekenplanken door. Ze was net een wagenmenner die een zweep liet knallen.

Vooraan in de bieb snotterde meneer Gerrits achter zijn balie in een zakdoek.

Op de studieafdeling was Peter Hendriks, die door iedereen 'Dikkie' werd genoemd, zijn vriend Jeroen Verhaag een paar interessante dingen aan het vertellen die hij zojuist had ontdekt.

'Wist je dat Phillip Yadzik uit de Verenigde Staten in 1955 binnen twee uur 77 grote hamburgers opat?'

'Walgelijk,' vond Jeroen, die een voetbalboek probeerde te lezen.

'En dat de zwaarste man ter wereld uit

Engeland kwam en maar liefst 377 kilo
woog?'

'Mmm, dat is dik.'

'En dat de grootste drilpudding–'

'Dikkie,' zei Jeroen, terwijl hij zijn boek
neerlegde. 'Wist je dat de vervelendste
jongen in het hele universum Dikkie
'Kwebbelkous' Hendriks heet, bij wie ooit
een *Guinness Book of Records* in zijn linker
neusgat werd geduwd, omdat hij de hele
tijd over eten praatte?'

'Oké, oké,' zuchtte Dikkie. 'Ik wilde je alleen maar wat leren.'

Op datzelfde moment stopte het gesnotter achter de balie van meneer Gerrits, die nu diep ademhaalde en 'Wah-hah-hah-HAAHHH!' deed.

Het klonk erg vreemd, vooral omdat meneer Gerrits degene was die dit geluid maakte. Hij was namelijk een schuchtere, beleefde man. Normaal gesproken deed hij alleen maar 'Sssst!'

Iedereen keek naar hem. Meneer Gerrits zette zijn bril af en veegde die met zijn zakdoek schoon. Daarna keek hij de bieb rond, snoof een paar keer en haalde weer diep adem.

'WAAAAHHHHHH!'

'Brand!' riep de oude man in de leunstoel, die met een schok wakker was geworden. 'Geen paniek! Ik heb de sirene gehoord! Bejaarden het eerste naar buiten!'

'Dikkie,' fluisterde Jeroen. 'Ik geloof dat de bibliothecaris aan het huilen is.'

'Wat gênant,' vond Dikkie.

De juf die had zitten voorlezen, liep naar de balie.

'Gaat het een beetje, meneer Gerrits?' vroeg ze.

De bibliothecaris snoof verdrietig.

'Misschien is het hooikoorts,' zei de oude man, die nu besefte dat het geluid waar hij wakker van was geworden, geen brandalarm was.

Dikkie en Jeroen gingen bij het groepje mensen staan dat zich om de balie had verzameld. Ze hadden medelijden met meneer Gerrits, maar omdat ze niet gewend waren bibliothecarissen overdag in huilen te zien uitbarsten, wisten ze niet wat ze moesten zeggen.

De nieuwe assistente, een jonge vrouw die haar donkere haar in een paardenstaart bijeen had gebonden, liep om de balie heen en legde haar arm om de schouders van meneer Gerrits.

'Kop op,' zei ze. 'Misschien gaat het wel helemaal niet door.'

9

'Het is al doorgegaan,' antwoordde de bibliothecaris verdrietig. Hij gaf haar het vel papier dat hij had zitten lezen. 'Kijk maar naar deze brief van de gemeente.'

'Kennisgeving van sluiting', las de assistent-bibliothecaresse hardop voor. *'De gemeente laat u hierbij weten dat de bibliotheek in de Langstraat vanaf eind deze maand gesloten zal zijn–'*

'O jee!' riep de juf.

'–en dat alle boeken overgebracht zullen

worden naar de nabijgelegen bibliotheek
in de Sint-Annastraat –'

'Nabijgelegen?' zei de oude man. 'Voor mij is die te ver weg om naartoe te lopen.'

'De medewerkers zullen in een andere
bibliotheek een baan krijgen. Was
getekend, de wethouder van cultuur.'

'Ik wil geen baan in een andere bibliotheek,' jammerde meneer Gerrits. Zijn stem sloeg over, net alsof hij weer op het punt stond in huilen uit te barsten. De juf legde opnieuw een arm om zijn schouders.

'Rustig maar,' zei ze.

'Jeroen,' fluisterde Dikkie, terwijl hij de assistent-bibliothecaresse, die nu haar schoonmaakjas aan het uittrekken was, aandachtig stond te bekijken. 'Vind je niet dat ze op iemand lijkt?'

'Ja, inderdaad,' antwoordde Jeroen. 'Maar wat doet ze hier in 's hemelsnaam?'

Vlug trok de assistent-bibliothecaresse de handschoenen uit die ze tijdens het

11

afstoffen aan had gehad. In haar paarse T-shirt en spijkerbroek zag ze er heel anders uit.

'Ze moet het zijn,' meende Dikkie. 'Niemand anders heeft zwart gelakte nagels als ze in de bieb werkt.'

'Genoeg gepraat,' zei de assistent-bibliothecaresse met haar handen in haar zij. 'Het is tijd voor actie. Het einde van de maand, staat er in de brief. Dat betekent dat ze vrijdag de bieb sluiten, tenzij we hen tegen kunnen houden. Jeroen, Dikkie, ik heb jullie hulp nodig. We gaan het als volgt aanpakken...'

Jeroen en Dikkie keken elkaar even aan. Ze wist hoe ze heetten.

'Daar gaan we weer,' grinnikte Dikkie.

Een paar minuten later pakte de assistent-bibliothecaresse haar spullen en liep met grote passen de bieb uit. Ze moest een paar toverformules voorbereiden, zei ze.

'Toverformules?' vroeg de juf, nadat de

assistent-bibliothecaresse weg was. 'Wat is hier aan de hand?'

'Ja, wie was die vrouw in dat paarse T-shirt nou eigenlijk?' wilde meneer Gerrits weten.

'Dat was juf Wijs,' antwoordde Dikkie.

'Als er iemand is die de bieb kan redden, dan is juf Wijs het wel,' zei Jeroen. 'Ze kan namelijk toveren.'

'Wat goed,' merkte meneer Gerrits op. Hij leek niet overtuigd te zijn.

'Pap,' zei Dikkie die avond, terwijl de familie Hendriks zat te eten. 'Is het waar dat de gemeente de bieb wil sluiten?'

'Ja, dat klopt,' antwoordde meneer Hendriks, die raadslid was. 'Er zijn te veel bibliotheken in dit deel van de stad. We gaan haar verkopen zodat we er flats kunnen bouwen.' Hij prikte zijn vork in een worstje. 'Hele mooie flats worden het.'

'Maar hoe zit het dan met de mensen die altijd naar die bieb gaan?' vroeg Dikkie. 'Zij zijn ook belangrijk.'

'Niet zo brutaal zijn tegen je vader,' waarschuwde mevrouw Hendriks.

'Maar zo is het toch?' drong Dikkie aan. 'De mensen hebben die bieb nodig. En–' Dikkie verlaagde zijn stem, '–juf Wijs gaat de bieb redden.'

'Zei je Wijs? Gaat dat mens zich ermee bemoeien?' Meneer Hendriks keek bezorgd. Hij herinnerde zich vorig trimester op de Sint-Barnabasschool nog, toen een uil rekenles gaf, een schoolinspecteur een rat in zijn broek vond en twee juffen in ganzen werden veranderd. 'Die vrouw geeft problemen.'

'Maar *iemand* moet toch onze boeken komen redden?' meende Dikkie.

Meneer Hendriks doopte zijn worstje in wat tomatensaus.

'Je moet niet vergeten, Peter,' zei hij plechtig, 'boeken zijn boeken en zaken zijn zaken. Hè, mam?'

'Zeer zeker, pap,' antwoordde mevrouw Hendriks.

15

HOOFDSTUK TWEE

'Is dit een bieb of een dierentuin?

Die vrijdagmiddag spraken Jeroen en Dikkie in het park met elkaar af en gingen samen naar de bieb in de Langstraat. Jeroen had zijn skateboard bij zich, want dat nam hij overal mee naartoe, en Dikkie had een grote trommel met boterhammen meegenomen, voor het geval ze tijdens etenstijd nog steeds de bieb aan het redden waren.

Maar toen ze in de Langstraat aankwamen, schrokken ze heel erg. De bieb was al dicht en meneer Gerrits zat verdrietig buiten op de stoep.

'Ze hebben hem gesloten,' zei hij. 'Ik kan mijn eigen bieb niet in.'

'Wat vreemd,' vond Jeroen. 'Dat zou vanavond pas gebeuren.'

'Misschien heeft de wethouder van cultuur gehoord dat die juf Wijs van jullie wilde gaan toveren,' meende meneer Gerrits.

'Maar hoe zou hij dat dan kunnen weten?' Jeroen snapte er niks van. 'Het had een geheim moeten blijven. Niemand zou zo stom zijn om het aan een raadslid te verraden, of wel?'

'Nou...' Dikkie keek alsof hij nu het liefst ergens anders was.

'O nee, hè!' riep Jeroen. 'Je hebt toch zeker niks tegen je vader gezegd?'

'Nou kijk–'

'Dikkie,' zuchtte Jeroen. 'Je bent een grote sukkel.'

'Misschien weet juf Wijs wat we moeten doen,' mompelde Dikkie.

Meneer Gerrits snoof. 'Áls ze tenminste komt.'

'Ze komt zo,' stelde Jeroen hem gerust.

'Waarschijnlijk op haar vliegende stofzuiger.'

'Of ze valt zomaar ineens uit de lucht,' zei Dikkie.

Op dat moment stopte een bus voor de bieb, waar juf Wijs uit stapte. Ze had een plastic tas bij zich.

'Poe,' hoonde meneer Gerrits. 'Noem je dát nou een heks?!'

Juf Wijs vond het geen goed idee de boel op te geven en naar huis te gaan

(wat meneer Gerrits voorstelde) of de deur
in te trappen (wat Jeroen in gedachten
had) of de zaak onder het genot van een
paar boterhammen en gebakjes te
bespreken (wat Dikkie wilde).

'De mensen van de gemeente komen zo
meteen,' zei juf Wijs. 'Meneer Gerrits
heeft namelijk nog niet te horen gekregen
wat er met hem gaat gebeuren.'

'Wat doen we als ze hier zijn?' vroeg
meneer Gerrits.

'We gaan ze betoveren,' zei Dikkie grijnzend.

'Ja!' riep Jeroen. 'Juf Wijs gaat Hetty de porseleinen kat met de flikkerende ogen gebruiken en Archimedes de uil en Herbert de toverrat.'

'Oeps!' Juf Wijs sloeg met haar hand tegen haar voorhoofd. 'Ik heb ze allemaal thuis gelaten.'

Meneer Gerrits, Jeroen en Dikkie keken haar verbaasd aan.

'Ach, nou ja,' zei ze, terwijl ze haar schouders ophaalde. 'Niemand is perfect.'

'Wat hebt u dan wél?' vroeg Jeroen, die zich begon af te vragen of juf Wijs haar toverkracht een beetje was kwijtgeraakt.

Juf Wijs keek in haar plastic tas en haalde er een klein potje uit. Het was net zo klein als een pepervaatje.

'Ik heb vissenpoeder,' klonk het trots.

'Geweldig,' zei Dikkie. 'Dat kunnen we dan over mijn boterhammen strooien. Vis met pindakaas. Mjam mjam.'

'Hoe kun je nou met vissenpoeder een bieb redden?' vroeg meneer Gerrits.

'Dit is speciale vissenpoeder,' legde juf Wijs uit. 'We hebben alleen maar een paar boeken nodig.' Kordaat liep ze naar de deur van de bieb. 'Ah,' zei ze, toen ze zich opeens herinnerde dat die gesloten was.

'Je hebt je dag niet vandaag, hè?' vroeg meneer Gerrits.

Juf Wijs negeerde hem. 'Jeroen,' zei ze, 'heb je toevallig boeken bij je?'

'Niet veel bijzonders,' mompelde Jeroen. 'Alleen maar een paar van Beatrix Potter.'

'Beatrix Potter?' Dikkie begon te lachen. 'Beatrix *Potter*?'

Jeroen bloosde. 'Die waren voor mijn zusje.'

'O nee toch,' zei meneer Gerrits, toen een auto voor de bieb stopte. 'Daar heb je mevrouw Pol, de wethouder van cultuur.'

'Gauw!' riep juf Wijs. 'Geef me die boeken.'

Jeroen trok een stel kleine boekjes uit

zijn jaszak. Terwijl de wethouder op hen af liep, legde Juf Wijs ze op de grond.

'Als u deze bieb sluit,' riep juf Wijs, terwijl ze haar potje vissenpoeder pakte, 'ben ik niet verantwoordelijk voor de gevolgen.'

'Dit is geen bieb meer,' zei mevrouw Pol. 'Het is gewoon een ruimte met boeken erin. Binnenkort halen we de boeken weg, zodat we er appartementen kunnen bouwen.'

'Ik heb u gewaarschuwd,' antwoordde
juf Wijs, terwijl ze de boeken van Beatrix
Potter opende en vissenpoeder over de
bladzijden strooide. Er klonk een gezoem,
dat boven het geraas van het verkeer in de
Langstraat uit te horen was. Daarna kwam
een aantal kleine dieren, gekleed in
vestjes en kinderschortjes, tot leven en
hupte de boekjes uit en de straat op.

Al gauw liepen Biggetje Goedhart,
Diederik Stadsmuis, Jozefien

Kwebbeleend, Pieter Konijn en een aantal Wollepluiskonijntjes voor de bieb te huppen, waggelen en hollen.

'Gaaf, juf Wijs,' vond Jeroen.

'Wat krijgen we nou?' riep mevrouw Pol. 'Is dit een bieb of een dierentuin?'

'Dit vissenpoeder kan ieder personage in een boek tot leven brengen,' zei juf Wijs. Jozefien Kwebbeleend kuierde weg en zorgde voor nogal wat sensatie bij de tijdschriftenkiosk. 'We kunnen deze buurt helemaal op stelten zetten, tenzij we onze bieb mogen houden.'

'Vissenpoeder?' vroeg mevrouw Pol, terwijl ze voorzichtig over Diederik Stadsmuis heen stapte.

'Inderdaad,' zei juf Wijs. 'Het is een toverdrankje.'

Dikkie en Jeroen juichten.

Juf Wijs stak haar hand op. 'Als u deze bieb niet meteen heropent, laat ik nog meer dieren vrij. Ik kan het hele verkeer stilleggen.'

'Dat kunt u niet ongestraft doen,' vond mevrouw Pol, terwijl ze achteruit naar haar auto liep en daardoor bijna over een Wollepluiskonijntje struikelde. 'We komen terug.' Snel reed ze weg.

'Zo,' zei juf Wijs. 'Nu is het tijd de dieren weer onder controle te krijgen.'

Op datzelfde moment hoorden ze piepende remmen achter hen op straat.

'O nee hè!' riep Dikkie. 'Dat is een bus. Ik denk dat de buschauffeur een van onze dieren niet heeft gezien.'

'Het is Pieter Konijn!' riep Jeroen, naar lucht happend.

'Pieter Konijn? Onder een bus?' Meneer Gerrits was bleek geworden. 'Maar dat zou de hele kinderliteratuur kunnen veranderen.'

'Pieter Konijn is er in ieder geval door veranderd,' merkte Dikkie op, terwijl hij naar de plaats van het ongeluk keek.

'Ik vond hem de leukste van allemaal,' jammerde Jeroen.

'Maak je maar geen zorgen,' zei juf Wijs.
'Het vissenpoeder maakt het wel weer in
orde.' Ze haalde diep adem, strooide een
beetje poeder op de bladzijden van het
boekje over Pieter Konijn en riep:
'REDEOPNESSIV!'

De gedaante midden op straat
verdween. Jeroen keek in zijn boek. 'Oef!'
zuchtte hij. 'Pieter Konijn is er weer.'

'Ik dacht dat die boeken voor je zusje
waren,' zei Dikkie.

'Wat maakt dat nou uit,' vond juf Wijs.
'Met een paar Wollepluiskonijntjes kunnen
we de gemeente niet van gedachten laten
veranderen. Welke boeken heb je nog
meer?'

Dikkie graaide in zijn boterhammen-
trommel. 'Wat dacht je hiervan?' vroeg hij.

HOOFDSTUK DRIE

'Waar heb je hem precies ontmoet, Peter?'

Meneer en mevrouw Hendriks zaten televisie te kijken. Dit was een van hun favoriete bezigheden. Meneer Hendriks kwam vrijdags 's middags zelfs stiekem naar huis om naar *De Straat* te kijken. Dat was de soapserie die hij het leukste vond.

'Die Marleen raakt op deze manier in de problemen,' zei hij tegen mevrouw Hendriks, terwijl hij aan zijn thee nipte. Hij zat te wachten tot *De Straat* begon. 'Ze moet niet met die arts uitgaan als ze al met de leraar verloofd is.'

'Nee,' vond ook mevrouw Hendriks. 'Vooral niet na wat er tijdens die barbecue is gebeurd.'

'Waar is die jongen toch?'

Even dacht mevrouw Hendriks dat haar man het nog over de arts had, maar besefte toen dat hij Peter, hun zoon, bedoelde. 'In de bieb,' antwoordde ze. 'Met zijn neus in de boeken, zoals gewoonlijk.'

'Boeken!' hoonde Dikkies vader. 'Wat moet je nou met boeken? Toen ik zo oud was als hij, had ik wel wat anders te doen dan mijn hoofd met onzin te vullen. Dat heeft me nooit enig kwaad gedaan. Zet de televisie wat harder, mam.'

Mevrouw Hendriks deed wat hij zei.

'Hoe dan ook,' merkte meneer Hendriks op. 'Vandaag hebben we die bieb gesloten.'

'En nu–' kondigde de omroeper aan, '–is het tijd voor een bezoekje aan *De Straat*.'

De voordeurbel ging.

'Dat zal Peter wel zijn,' zei meneer Hendriks. Morrend stond hij op. 'Als de bel op een ongunstig moment gaat wanneer iedereen het druk heeft–' hij maakte de voordeur open, '–is het altijd... eh, goedemiddag.'

Voor zijn neus stond de dikste man die hij ooit had gezien. Hij droeg een bermuda en een petje.

'Waarmee kan ik u van dienst zijn?' vroeg meneer Hendriks nerveus.

De man wees naar zijn mond.

'Hoi pap,' zei Dikkie, die vanachter de reus te voorschijn sprong. 'Dit is mijn

vriend Phillip Yadzik uit de Verenigde Staten.'

Meneer Hendriks glimlachte. 'Hello, Phillip,' groette hij in zijn beste Engels.

'Hij heeft nogal honger,' legde Dikkie uit. 'De afgelopen paar jaar zat hij in het *Guinness Book of Records*.'

'Dat verbaast me niks,' zei meneer Hendriks, die niet goed raad wist met de situatie.

Yadzik perste zich door de deuropening. Eenmaal binnen snoof hij als een hond die eten ruikt.

'Wilt u misschien met ons naar *De Straat* kijken?' vroeg meneer Hendriks zwakjes. 'Het is net begonnen.'

'Ik denk dat hij liever iets wil eten,' meende Dikkie.

Yadzik baande zich een weg langs meneer Hendriks en liep rechtstreeks naar de keuken, waar hij de koelkast openmaakte en drie kippenpasteitjes, twee dozijn worstjes en een grote zak friet

naar binnen schrokte, met plastic
verpakking en al.

'Is dat Peter met een van zijn vriendjes?'
riep mevrouw Hendriks vanuit de
huiskamer.

'Ja, mam!' riep Dikkie terug. Yadzik was
net een groot wit brood naar binnen aan
het werken, toen Dikkies moeder de
keuken in kwam lopen om met hem
kennis te maken.

'O!' zei ze. Het valt niet mee om normaal
te blijven kijken als een reus je keuken
leeg eet, maar op de een of andere manier
slaagde mevrouw Hendriks erin om aan
haar manieren te denken. 'Wat ben jij een
grote jongen. Zit je bij Peter op school?'

'Hij zegt nooit wat,' legde Dikkie uit.
'Blijkbaar kunnen personages uit boeken
dat niet. De woorden zijn van de
schrijvers.'

'Ik begrijp het,' zei mevrouw Hendriks,
die er helemaal niks van begreep. 'Waar
heb je hem precies ontmoet, Peter?'

'In het Eet- en Vreetgedeelte van het *Guinness Book of Records*. In 1955 at hij binnen twee uur 77 hamburgers op en in 1957 at hij binnen 15 minuten 101 bananen. Maar hij heeft al jaren niks gegeten, dus waarschijnlijk gaat hij die records nu verbreken.'

'Ons middageten voor zondag!' gilde mevrouw Hendriks, toen Yadzik een kip in de diepvries vond en er met een knerpend geluid zijn tanden in zette.

'Ik denk niet dat hij tot zondag kan wachten,' meende Dikkie.

'Hij eet ons nog de oren van het hoofd!' riep meneer Hendriks. 'Zeg dat hij weg moet gaan, Peter. Alsjeblieft.'

'O jee,' zei Dikkie. 'Hij gaat naar de huiskamer. Ik vraag me af wat hij daar zal eten.'

Yadzik ging met een enorme plof op de bank zitten. De poten braken meteen af. Hij greep achteloos een kussen en begon ervan te eten.

'Misschien eet hij ons inderdaad de oren van het hoofd,' zei Dikkie. 'Maar waarschijnlijk begint hij met het huis.'

'Wat moeten we nu doen?' vroeg meneer Hendriks. Dikkie had zijn vader nog nooit zo hulpeloos zien kijken.

'Weet je wat het is,' antwoordde hij, terwijl Yadzik een gordijn naar beneden trok en erop begon te kauwen. 'Phillip was eerst alleen maar een plaatje in een boek. Dat was zijn thuis.'

'O ja?' zei meneer Hendriks, die weer in de war leek te zijn gebracht.

'En nu heeft iemand de bieb gesloten, waar zijn boek altijd stond. Het is de bieb in de Langstraat.'

'Ga door,' zei meneer Hendriks wantrouwend.

'Dus als iemand die bieb gewoon weer zou *openen*,' ging Dikkie verder, 'weet ik zeker dat Phillip graag naar huis zou gaan. Juf Wijs hoeft zelfs alleen maar een beetje vissenpoeder op zijn bladzijden te strooien en een paar gekke woorden te zeggen en dan zit hij weer in het boek en is hij gewoon een gek wereldrecord.'

'Juf Wijs!' riep meneer Hendriks. 'Ik had kunnen weten dat zij er iets mee te maken heeft.'

Er klonk een krakend geluid toen Yadzik een tafel vermorzelde en aan de poten begon te knabbelen, net zoals een kleinere man friet zou eten.

'Ik bel mevrouw Pol wel even,' zei meneer Hendriks, terwijl hij de hoorn van

de telefoon oppakte en het nummer indrukte. 'Probeer hem met de televisie af te leiden, mam.'

'Dat zou ik maar niet doen,' raadde Dikkie haar af.

'Hallo,' zei meneer Hendriks in de hoorn. 'Is dat mevrouw Pol, de wethouder van cultuur? Dit is raadslid Egbert Hendriks. Ik wil dat u de bieb in de Langstraat weer opent. Ja, vanmiddag. Het is een noodgeval.'

'Zeg, Phillip,' zei mevrouw Hendriks. 'Wat dacht je van een lekkere televisie?'

'Ik denk echt dat dat geen goed idee is,' probeerde Dikkie haar weer te waarschuwen.

De reus keek mevrouw Hendriks even aan. Daarna richtte hij zijn blik op de televisie en glimlachte.

'Nee, ik ben niet dronken,' riep meneer Hendriks door de telefoon. 'Die juf Wijs laat personages uit boeken vrij. Ze zitten overal! Hallo? Mevrouw Pol? Bent u daar nog?'

Yadzik liep naar de televisie, trok de stekker eruit en tilde hem met een hongerig gegrom op. Vervolgens likte hij zijn lippen af.

'Niet de televisie!' gilde meneer Hendriks, terwijl hij de hoorn uit zijn handen liet vallen. 'Je mag alles opeten behalve dat! NEEEEEEEEEE!'

HOOFDSTUK VIER

'Probleem?'

'Eh...'

Meneer Gerrits was nooit erg moedig geweest. Eerlijk gezegd was hij juist heel erg zenuwachtig, en daarom was hij bibliothecaris geworden. Met boeken kon je makkelijker omgaan dan met mensen. Ze spraken nooit tegen, maakten geen kabaal en scholden je niet achter je rug om uit.

'Eh, pardon...'

Dat wil zeggen, totdat juf Wijs met haar vissenpoeder was verschenen. Het was natuurlijk wel leuk om de bieb te redden door personages uit boeken te bevrijden, maar waar zou dat allemaal toe leiden, als mensen uit boeken rond begonnen te lopen en hun eigen leven gingen leiden?

'Eh, pardon, luister even...'

Problemen. Daar zou het toe leiden. Meneer Gerrits probeerde zich voor te stellen hoe de bieb in de Langstraat eruit zou zien als dat vissenpoeder rond werd gestrooid. Juf Wijs had gezegd dat personages niet konden praten als ze uit hun boeken waren, maar wat zou er gebeuren als iemand *De geschiedenis van de Tweede Wereldoorlog* tot leven bracht? Of *Alles over walvissen*? Of, en bij die gedachte kreeg hij het al benauwd, de vieze plaatjes in sommige tijdschriften? Het zou een rel veroorzaken.

'Eh, pardon, zouden jullie even willen luisteren...?'

Juf Wijs, Jeroen en Dikkie bleven meneer Gerrits negeren. Ze stonden buiten te bespreken wat ze nu moesten doen.

'SSSSSSST!'

Eindelijk draaiden ze zich om en zagen dat de bibliothecaris iets probeerde te zeggen.

'Volgens mij,' zei hij, 'loopt het allemaal een beetje uit de hand.'

'Niet echt,' vond Dikkie. 'Pieter Konijn zit weer in zijn boek. Juf Wijs heeft Phillip teruggestuurd naar het Eet- en Vreetgedeelte door vissenpoeder op zijn regels te strooien en 'REDEOPNESSIV' te zeggen voordat hij mijn huis opat. Wel jammer van de televisie.'

'Wilt u uw bieb dan niet redden?' vroeg Jeroen.

'Natuurlijk wel,' antwoordde meneer

Gerrits. 'Maar kunnen geplette konijnen en aan hamburgers verslaafde Amerikanen ons werkelijk helpen? Mevrouw Pol belt gewoon de politie en dat is dan dat.'

'Waarschijnlijk hebt u gelijk,' meende juf Wijs.

'We moeten mevrouw Pol op de een of andere manier van gedachten laten veranderen,' vond meneer Gerrits.

'Ik weet niet hoe,' zei juf Wijs. 'De bieb is gesloten en we hebben geen boeken meer die we tot leven kunnen brengen.'

'Tenzij u dit kunt gebruiken.' Meneer Gerrits leek nog meer in verlegenheid gebracht dan anders, terwijl hij zijn hand in zijn diplomatentas stak. Hij gaf juf Wijs een prentenboek.

'Goed zo, meneer Gerrits,' antwoordde die met een glimlach.

'Ik ben altijd al een fan van Hunne Majesteiten geweest,' zei hij.

Dikkie keek naar het boek. 'Ik snap het

niet. Hoe kan *Het Grote Boek der koninklijke bruiloften* ons nou helpen?'

Toen Karin Smid een telefoontje kreeg van haar vriend Jeroen, die om haar hulp vroeg, was ze daar helemaal niet verbaasd over.

'Toch niet weer huiswerk?' vroeg ze.

'We hebben iemand nodig die goed is in het nadoen van stemmetjes,' zei Jeroen. 'Jij bent de beste actrice die ik ken. Over tien minuten zie ik je wel in het gemeentehuis.'

'Wacht even,' zei Karin. 'Wie zijn "we"?'

'Ik, Dikkie – en juf Wijs.'

Karin slaakte een vreugdekreet. 'Ik kom er meteen aan!'

Het was een heel normale dag geweest voor mevrouw Pol, de wethouder van cultuur. Het enige interessante dat er was gebeurd, was een vreemd telefoontje van Egbert Hendriks. Iets over de bieb in de Langstraat en zijn televisie die werd opgegeten, maar daar had ze gewoon niet naar geluisterd.

Egbert hield wel van een glaasje of drie tussen de middag. Hij maakte waarschijnlijk maar een grapje.

Er werd op de deur geklopt.

'Kom binnen,' zei mevrouw Pol.

'Ik... maar... als... mevrouw... help...'

Het was haar secretaresse mevrouw Sanders, die moeite scheen te hebben om uit haar woorden te komen.

'Wat is er in vredesnaam aan de hand, mevrouw Sanders?'

'Waar is de wethouder van cultuur?' vroeg een luide, maar heel deftige stem aan de andere kant van de deur. 'Ik *eis* dat ik haar te spreken krijg!'

De deur vloog open, en daar stonden plotseling de vreemdste bezoekers die mevrouw Pol ooit had ontvangen.

'Het zijn de Koninklijke Hoogheden,' kondigde mevrouw Sanders aan, die haar stem eindelijk weer terug kreeg. 'Een beroemde prins en prinses. Ze brengen een onverwacht bezoekje aan het gemeentehuis.'

'We zijn door het land aan het trekken, is het niet, schat?' zei de stem van de prinses.

Jeroen, Dikkie, juf Wijs en meneer Gerrits stonden achter het koninklijke stel. Het was maar goed, dacht Jeroen, dat de prinses haar bruidsjurk aan had met een sluier over haar gezicht. Zo kon niemand

zien dat haar mond niet met de woorden van Karin mee bewoog.

'Bent u de wethouder van cultuur?'

'Ja, Hoogheid.' Mevrouw Pol legde haastig de papieren op haar bureau netjes bij elkaar, terwijl ze tegelijkertijd een revérence probeerde te maken. 'Tot uw dienst, Hoogheid.'

De prins, die koninklijk glimlachte, schudde haar hand.

'Vertelt u me eens, mevrouw,' ging Karin verder met haar prinsessenstem. 'Hoe gaat het met mijn favoriete bieb, de bieb in de Langstraat? Ik vind het daar werkelijk fantáááástisch.'

Er ging een schok door mevrouw Pol heen. 'Die is g-g-g-gesloten,' stotterde ze uiteindelijk.

'PARDON?'

'We... ik heb hem net gesloten, Hoogheid.'

'Mijn favoriete bieb? Ik heb daar mijn allereerste boek gelezen.'

'Is dat zo, Hoogheid?' Mevrouw Pol kon haar verbazing niet verbergen. De prinses zag er namelijk niet echt uit als iemand die in de buurt van de Langstraat woonde.

'Ik eis dat u hem weer opent. Vanmiddag nog.'

Mevrouw Pol slikte. 'We kunnen hem niet openen,' antwoordde ze. 'We hebben hem net gesloten. Dat zou een probleem worden.'

'PROBLEEM?' piepte Karin met een hoog stemmetje. 'Welnu, als ú hem niet kunt openen, dan doen wíj het wel. Nietwaar, prinsje van me?'

De prins stond nog steeds koninklijk te glimlachen en met iedereen handen te schudden. Nu stond hij naast de plek waar Karin achter de prinses op haar hurken zat. Hij glimlachte en stak zijn hand uit.

'Laat dat, prins,' prevelde Dikkie. 'Ik denk dat ze het op dit moment een beetje druk heeft.'

'Ik ga er nu meteen naartoe,' zei Karin.

'Misschien noem ik u zelfs in mijn toespraak wanneer ik de bieb open.'

'Toespraak?' fluisterde Jeroen verbaasd.

'Dank u, Hoogheid.' Mevrouw Pol knikte even met haar hoofd.

'De bieb in de Langstraat gaat dus weer open? En hij blijft open, oké?'

'Ja, Uwe Koninklijke Hoogheid,' antwoordde mevrouw Pol.

'Ja!' riep Jeroen.

Mevrouw Pol keek abrupt op.

'Pardon, Hoogheid. Zei u iets?'

'Ja,' antwoordde Karin snel. 'Oké, ja.'

'Hoogheid,' zei mevrouw Pol blozend. 'Mag ik Uwe Koninklijke Hoogheid vragen waarom u een trouwjurk draagt?'

Even bleef het stil.

'Omdat... Eigenlijk...' Karin dacht snel na. 'Omdat het vandaag mijn trouwdag is. Zo!'

En met die woorden stevende het koninklijke paar de kamer uit, gevolgd door Karin, Jeroen, Dikkie, meneer Gerrits en juf Wijs.

HOOFDSTUK VIJF

Frankenstein komt naar de bieb

Het duurde een hele tijd voordat het koninklijke gezelschap van het gemeentehuis naar de bieb in de Langstraat was gewandeld, omdat de prins per se met iedereen handen wilde schudden.

'Mijn trouwjurk wordt stoffig,' zei Karin na een poosje. 'Kun jij mijn bruidsmeisje zijn en hem voor me optillen, Dikkie?'

'Pûh, bekijk het maar,' antwoordde Dikkie. 'Wat ga je trouwens in die toespraak zeggen?'

Karin lachte. 'Ik verzin wel iets.'

Een paar passen achter hen liep meneer Gerrits naast juf Wijs. 'Het is me niet ontgaan dat u niet zo vrolijk bent als anders.'

Juf Wijs zuchtte. 'U had gelijk, meneer Gerrits. Vandaag is mijn dag niet.'

'Maar waarom dan niet? De bieb wordt heropend.'

'Als ik u iets vertel, belooft u dan dat u niet in paniek zult raken?'

Meneer Gerrits knikte.

'Ik ben het vissenpoeder kwijt. Ik denk dat iemand het gestolen heeft.'

'O jee.' Meneer Gerrits raakte in paniek. Om de een of andere reden moest hij ineens aan de Tweede Wereldoorlog denken, aan walvissen en aan vieze plaatjes in mannentijdschriften. 'O *jee*!' zei hij.

Tegen de tijd dat het koninklijke paar in de Langstraat was aangekomen, werden ze door een behoorlijk grote menigte gevolgd.

Bij de bieb stond mevrouw Pol al op hen te wachten. Ze was er zo snel mogelijk naartoe gereden en had een roze lint voor de deur gehangen.

'Uwe Hoogheid is komen *lopen*?' vroeg ze ongelovig.

Karin ging weer op haar hurken achter de prinses zitten. 'We vinden het leuk om met het gewone volk kennis te maken,' antwoordde ze luid.

Mevrouw Pol gaf de prinses een schaar. 'Als u zo vriendelijk zou willen zijn om het lint door te knippen, Uwe Hoogheid,' zei ze, 'dan kunnen we daarna de bieb heropenen.'

De prinses pakte de schaar. Achter haar riep Karin: 'Dankzij de inspanningen van uw geweldige wethouder van cultuur, uw fantastische bibliothecaris meneer Gerrits en natuurlijk de helemaal te gekke juf Wijs, verklaar ik deze bieb voor geopend!'

Iedereen juichte toen de prinses het lint doorknipte en de bieb binnen wandelde, op de hielen gevolgd door haar prins en Karin.

Al gauw was het in de bieb net zo druk als altijd. De prinses ging bij een stel kleuters zitten aan wie een verhaal werd voorgelezen, terwijl de prins de hand

schudde van de oude man, die gemakkelijk in zijn favoriete leunstoel ging zitten.

'Juf Wijs,' zei Dikkie, 'ik denk dat het tijd is voor het vissenpoeder. Als u de prins en prinses niet gauw naar hun boeken terugtovert, krijgt mevrouw Pol argwaan. Karin houdt dat stemmetje niet lang meer vol.'

'Waar is in 's hemelsnaam het vissenpoeder gebleven?' mompelde juf Wijs, terwijl ze in haar plastic tas rommelde. 'Het zou erg gênant kunnen zijn als dat in verkeerde handen terechtkwam.'

Op datzelfde moment viel een vrouw aan de andere kant van de bieb flauw. Naast haar stond een spook dat er een beetje verward uitzag.

'Waar is Jeroen gebleven?' vroeg juf Wijs ineens.

Dikkie haalde zijn schouders op. 'Ik geloof dat ik hem bij de horror- en griezelafdeling heb gezien,' zei hij.

'En waar is die?'

'Achter de plek waar dat driekoppig monster zojuist uit het niets is verschenen.'

'O *nee*!' riep juf Wijs.

Al snel heerste er complete verwarring in de bieb. Overal waren geesten, zombies, weerwolven en vampiers die van de boekenplanken af wandelden. Er klonk paniekerig geschreeuw toen mannen, vrouwen en kinderen op de vlucht sloegen richting deur. Zelfs de prins en prinses keken nogal verbaasd.

'Wauw,' zei Dikkie. 'Frankenstein is in de bieb.'

'Geen paniek!' riep juf Wijs. 'Ze kunnen geen kwaad doen. Ze zijn niet echt, eerlijk waar!'

Maar niemand luisterde naar haar.

'Sorry,' zei Jeroen, die op zijn gemak met het flesje vissenpoeder in zijn hand naar juf Wijs toe liep. 'Ik wilde alleen maar even zien of het werkt.'

Zonder iets te zeggen pakte juf Wijs het flesje en strooide poeder over de bladzijden die Jeroen had opengeslagen.

'REDEOPNESSIV!' riep ze. 'REDEOPNESSIV!'

Geleidelijk verdwenen de demonen in de boeken waar ze vandaan kwamen.

'Ik heb genoeg gezien,' mopperde mevrouw Pol, die behoorlijk bleek was geworden. 'Eerst koninklijk bezoek en daarna Frankenstein. Ik ben blij dat ik hier niet werk.'

'De bieb wordt dus niet opnieuw gesloten?' vroeg meneer Gerrits.

'Beslist niet,' zei mevrouw Pol, terwijl ze

achteruit richting deur liep. 'Dit is uw bieb, meneer Gerrits. En van mij mag u hem houden. Goedendag.'

Meneer Gerrits wendde zich tot juf Wijs. 'Mag ik nu mijn *Grote Boek der Koninklijke Bruiloften* terughebben?' vroeg hij.

'Natuurlijk,' antwoordde juf Wijs. Ze strooide wat vissenpoeder op het boek en zei: 'REDEOPNESSIV.'

De prins en prinses vervaagden. Het laatste dat Jeroen, Dikkie en Karin van hen zagen, was een koninklijke glimlach.

'Wat een alleraardigst stel,' vond juf Wijs, terwijl ze meneer Gerrits zijn boek teruggaf. 'Nu wordt het tijd dat ik zelf ook ga.'

'Kunt u echt niet blijven?' vroeg meneer Gerrits. 'De bieb zal zonder u niet hetzelfde zijn.'

'Wat een onzin,' zei juf Wijs. 'U bent de beste bibliothecaris die ik ooit heb ontmoet.'

Meneer Gerrits bloosde.

'Dat geeft niks,' meende Karin. 'Juf Wijs komt altijd terug. Ze gaat naar plaatsen waar ze een beetje tovenarij kunnen gebruiken.'

'Dat is waar, Karin,' zei juf Wijs. 'Dag allemaal.'

Ze stak het flesje vissenpoeder hoog de lucht in en tikte een beetje poeder op haar hoofd. 'REDEOPNESSIV,' zei ze. Daarna glimlachte ze, zwaaide even naar iedereen en vervaagde toen.

Voor zover meneer Gerrits het zich kon herinneren, was het voor de eerste keer volkomen stil in de bieb.

'Waaaaaat?' riep Dikkie uiteindelijk. 'Dat betekent dat juf Wijs een personage in een verhaal is.'

Weer was het stil.

'En als zíj uit een boek komt,' zei Karin, 'hoe zit het dan met ons?'

'Daar kunnen we maar beter niet te diep over nadenken!' vond Jeroen.